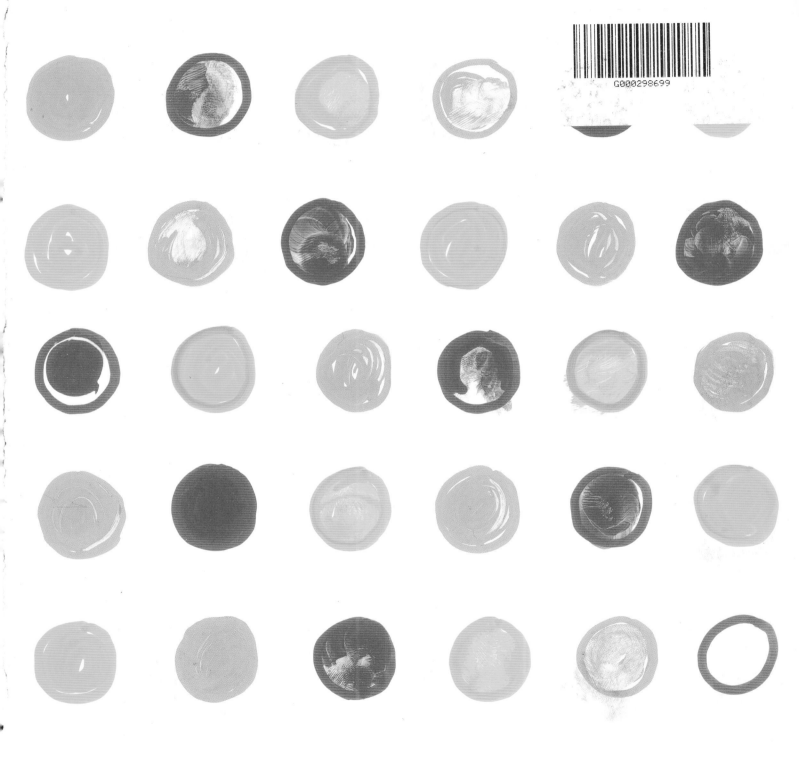

PULSA EL CÍRCULO AMARILLO
Y PASA LA PÁGINA.

¡BIEN! AHORA PULSA EL MISMO
CÍRCULO OTRA VEZ...

¡PERFECTO! AHORA TOCA CON EL DEDO, SUAVEMENTE,
EL CÍRCULO AMARILLO DE LA IZQUIERDA...

¡NO ESTÁ MAL! AHORA TOCA EL CÍRCULO
AMARILLO DE LA DERECHA.

¡ESTUPENDO! AHORA APRIETA CINCO VECES
EN EL AMARILLO...

... CINCO EN EL ROJO ...

Y CINCO EN EL AZUL...

¡PERFECTO! ¿Y SI AHORA MOVEMOS
UN POCO EL LIBRO?

¡NO ESTÁ MAL! ¿ A VER UN POCO MÁS FUERTE ?

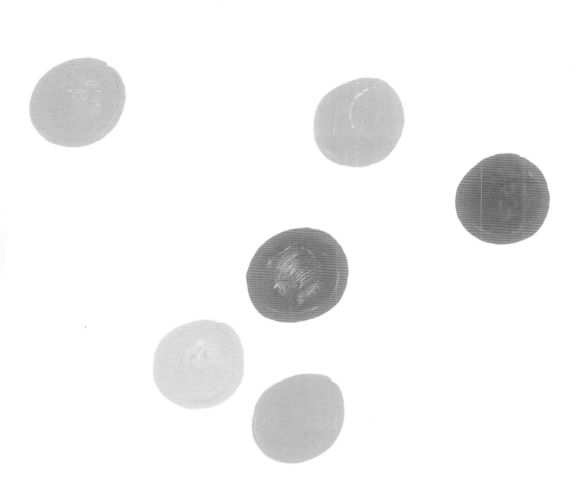

¡YA ESTÁ! MUY BIEN... AHORA INCLINA EL LIBRO
HACIA LA IZQUIERDA, ¿A VER...?

¿Y HACIA LA DERECHA?

¡EXCELENTE! MUEVE EL LIBRO UNA VEZ MÁS,
PARA PONER UN POCO DE ORDEN...

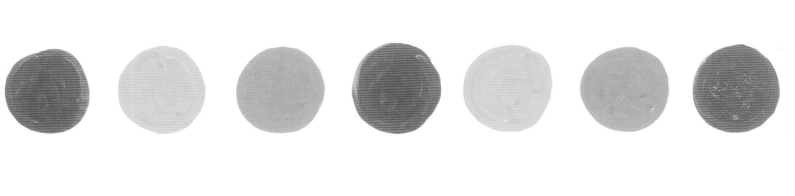

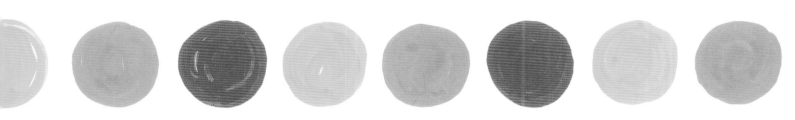

¡UMM! ¡QUÉ BONITO! PULSA LOS CÍRCULOS AMARILLOS,
A VER QUÉ PASA...

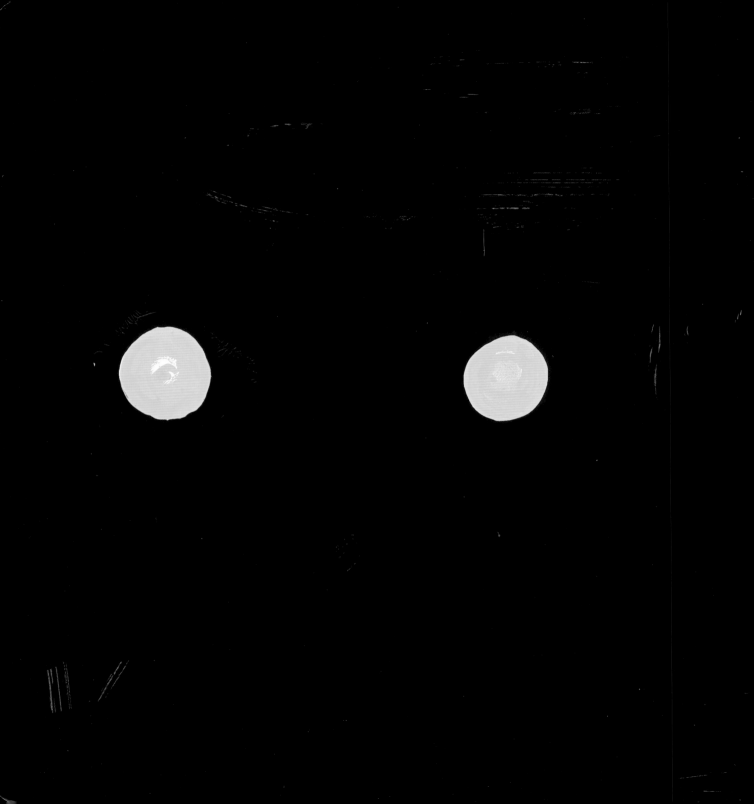

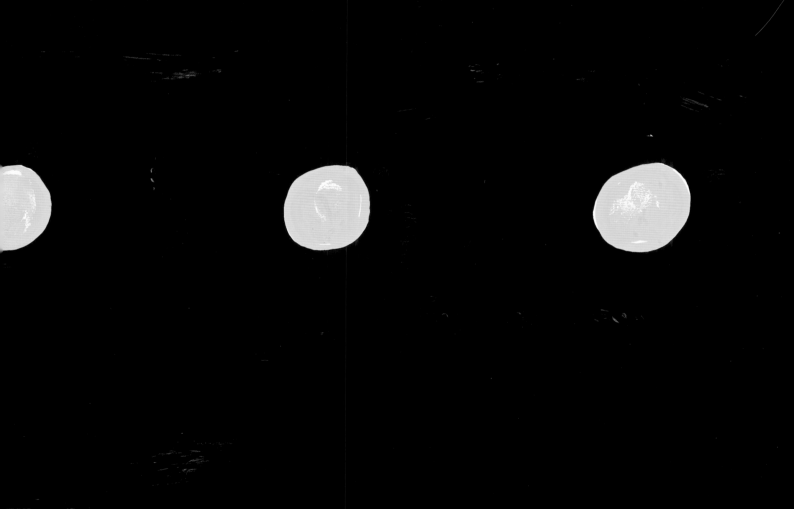

¡QUÉ DIVERTIDO! ¿ENCENDEMOS? ¿UNOS GOLPECITOS?

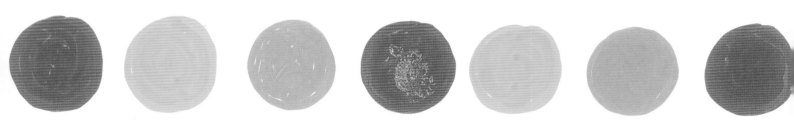

¡PERFECTO! (¡ANDA! HAY DOS QUE HAN CAMBIADO DE SITIO.
¿LOS VES?) Y AHORA PULSA TODOS LOS BOTONES
¡BIEN FUERTE!

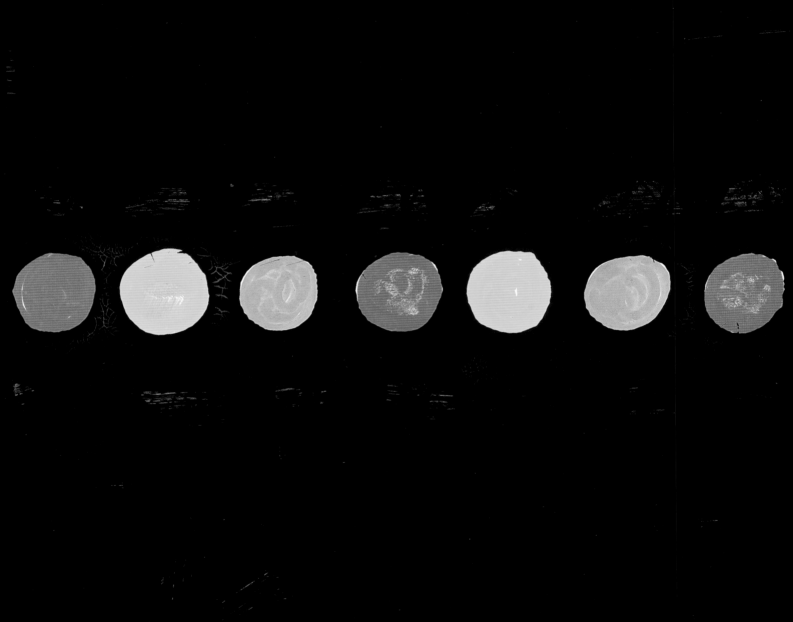

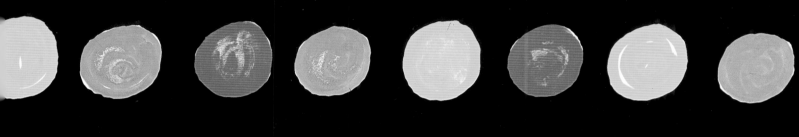

NO ESTÁ MAL...¿AGITAMOS UN POCO?

MUY BONITO ¿ VERDAD ?
¿ PUEDES SOPLAR AHORA...
PARA QUITAR EL NEGRO ?

¡UMM! UN POCO MÁS FUERTE...

¡UPS! ¡EI... QUIZÁ SOPLASTE DEMASIADO FUERTE!
PON EL LIBRO DE PIE PARA QUE BAJEN.

¡YA ESTÁ! ¡GENIAL!
DA UNAS PALMADAS SOBRE EL LIBRO,
¿A VER?

¡UAuu! ¿DOS?

¡ UNA MÁS !

¿TRES?

¡UAUU! ¡UN APLAUSO!

¡ UNA VEZ MÁS !

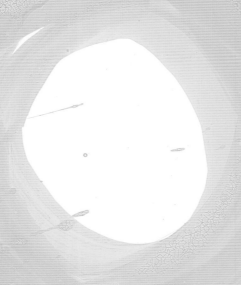

¡DEMASIADO FUERTE!
PULSA EL BOTÓN BLANCO...

SI QUIERES, PUEDES HACERLO POR AQUÍ...

¡BRAVO! ¿VOLVEMOS A EMPEZAR?

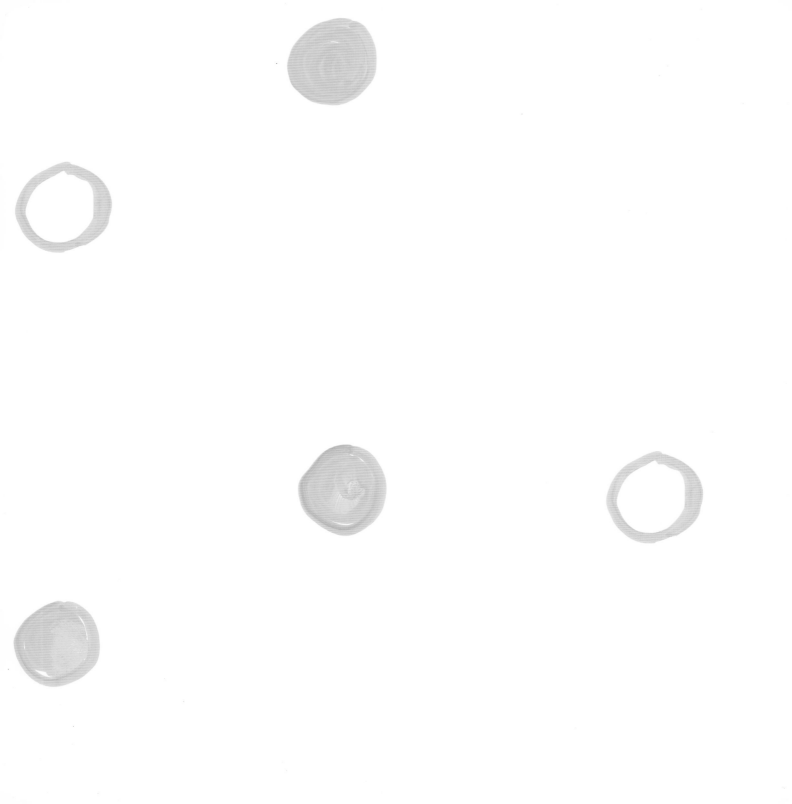

ESTO ES UN LIBRO,
HAZ LO QUE ÉL TE DIGA
Y VERÁS...

TÍTULO ORIGINAL : UN LIVRE
PUBLICADO POR PRIMERA VEZ POR BAYARD EDITIONS
© BAYARD, 2010
© DE ESTA EDICIÓN : EDITORIAL KÓKINOS, 2010
8ª EDICIÓN : 2016
JOSÉ MARAÑÓN, 7 - 28010 MADRID
www.editorialkokinos.com
www.herve-tullet.com
TRADUCCIÓN DE ESTHER RUBIO
ISBN: 978-84-92750-36-8
DEPÓSITO LEGAL: M. 27.630-2012
IMPRESO EN MALASIA - PRINTED IN MALAYSIA

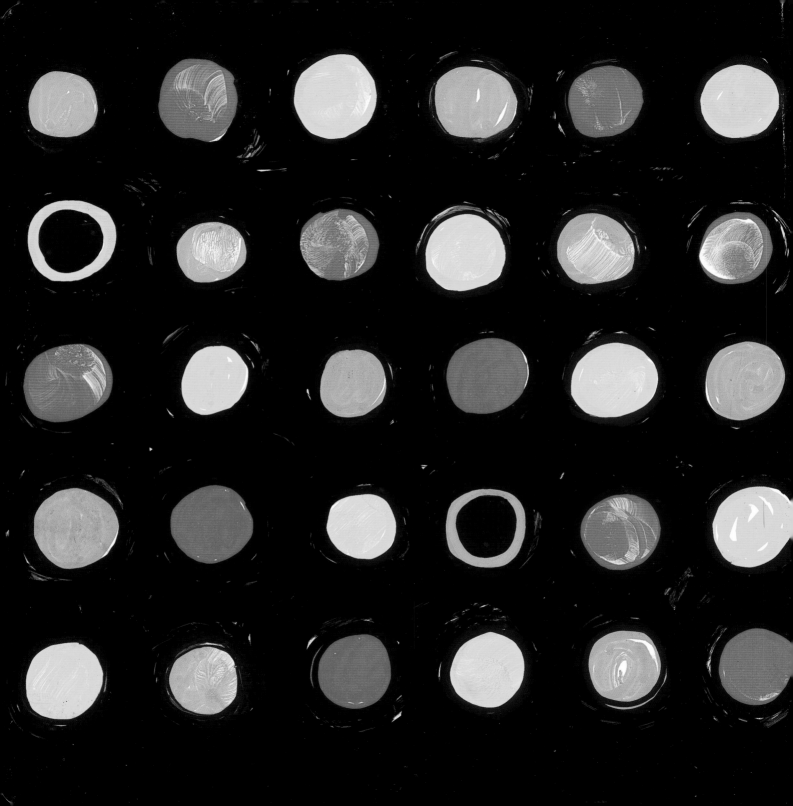